Элла, это тебе! — Р. С.

ББК 84(4Анг)
УДК 82-34
  Ш95

Литературно-художественное издание
Для чтения взрослыми детям

Оформление *Роба Скоттона*
Иллюстрации *Роберта Эйбеза*
Перевод с английского *Татьяны Покидаевой*

Шу Лин, Эми

Ш95 Котёнок Шмяк печёт торт / Э. Шу Лин. — Москва: Клевер-Медиа-Групп, 2019. — 31, [1] с.: ил. — *(Котёнок Шмяк)*

ISBN 978-5-91982-830-3

Издательство Clever
Генеральный директор *Александр Альперович*
Главный редактор *Елена Измайлова*
Арт-директор *Лилу Рами*
Дизайнер *Юлия Кремс*
Ведущий редактор *Мария Тонконогова*
Корректор *Светлана Липовицкая*

Доп. тираж 5000 экз.
Дата изготовления: 09.2019.
Формат 70х100/16. Усл. печ. л. 2,6.
Подписано в печать 20.08.2019.

Товар соответствует требованиям
ТР ТС 007/2011 «О безопасности продукции, предназначенной для детей и подростков».

В соответствии с ФЗ № 436 от 29.12.10 маркируется знаком 0+

Импортёр, уполномоченное лицо по принятию претензий к изготовителю от потребителей по качеству продукции: ООО «Клевер-Медиа-Групп» Адрес: 115054, г. Москва, 3-й Монетчиковский переулок, д. 16, стр. 1, мансардный этаж.

Электронный адрес для контакта:
hello@clever-media.ru

Страна происхождения: Латвия

Интернет-магазин: www.clever-media.ru
 facebook.com/cleverbook.org
 vk.com/clever_media_group
 @cleverbook

Книги – наш хлѣбъ
Наша миссия: «Мы создаём мир идей для счастья взрослых и детей».

Изготовитель: SIA «PNB Print» (ООО «ПНБ Принт»).
Адрес: Jansili, Silakrogs, Ropazu novads, LV-2133, Latvia.
(«Янсили», Силакрогс, Ропажский район, ЛВ-2133, Латвия). Заказ № 122297

ДОРОГИЕ РОДИТЕЛИ!

Возможно, именно с книжек издательства **CLEVER** начнётся большая любовь — любовь ребёнка к чтению. Мы стремимся пробудить в детях интерес к книгам, и наша с вами задача — помочь начинающему читателю обрести уверенность в своих силах. У нас вы найдёте книги для всех уровней читательского мастерства — от книжек с картинками, которые родители читают малышам, до серьёзных произведений литературы. Чтобы вам было легко ориентироваться при выборе книг для ребёнка, мы разделили наши серии по уровням:

1 УЧИМСЯ ЧИТАТЬ

Когда ваш малыш запомнит буквы, настанет время учиться читать по суперэффективной методике Михаила Носова. Его «Оранжевая книга сказок», «Синяя книга сказок» и «Зелёная книга сказок» не только помогут ребёнку отработать технику чтения, но и научат любить книги.

2 МОИ ПЕРВЫЕ КНИЖКИ

Простые и повторяющиеся слова из базового словаря, забавные картинки, темы для обсуждения с ребёнком. Читает преимущественно родитель, ребёнок слушает и пробует читать первые слова и предложения.

3 НАЧИНАЮЩИЙ ЧИТАТЕЛЬ

Несложные предложения, знакомые слова и сюжеты, понятные детям. Ребёнок читает сам, но с помощью и поддержкой взрослого.

4 ЧИТАЕМ САМИ И С ПОМОЩЬЮ ВЗРОСЛЫХ

Захватывающие истории для самостоятельного чтения, более сложные предложения, новые слова — для детей, которые уже умеют читать, но ещё обращаются с вопросами к родителям, если им что-то не очень понятно.

5 НАСТОЯЩИЙ ЧИТАТЕЛЬ

Увлекательные многоплановые сюжеты, неоднозначные характеристики персонажей, дающие пищу для размышлений и дискуссий с родителями и сверстниками, — подготовка для перехода ко взрослым книгам.

**БОЛЕЕ ПОДРОБНУЮ ИНФОРМАЦИЮ О НАШИХ СЕРИЯХ
ВЫ НАЙДЁТЕ НА САЙТЕ WWW.CLEVER-MEDIA.RU**

Я УМЕЮ ЧИТАТЬ!

КОТЁНОК ШМЯК

ПЕЧЁТ ТОРТ

История с участием персонажей, придуманных
Робом Скоттоном

Оформление обложки: *Роб Скоттон*
Текст: *Эми Шу Лин*
Иллюстрации: *Роберт Эйбез*

CLEVER

К

ак-то раз котёнок Шмяк
смотрел свой любимый мультик
про отважного Суперкота.

В этой серии Суперкот спасал
свой маленький городок
от ужасного землетрясения.

Шмяк объявил:
— Я тоже хочу быть отважным героем. Ой, там змея! Не бойся, Сырник, я тебя спасу!

И Шмяк спас мышонка
от свирепой змеи.

Но в пылу битвы нечаянно опрокинул свой молочный коктейль...

ШМЯК!

— Ну вот, — сказал папа. — Теперь мы остались без телевизора. И без «Суперкота».

— Как же так — без Суперкота?! —
расстроился Шмяк.
— А вот так, — сказала мама. — Может
быть, съездишь на озеро? Ты же
любишь кататься на велосипеде?
— Да, люблю, — вздохнул котёнок.

Шмяк сел на велосипед и поехал
на озеро. Он очень надеялся,
что прогулка его хоть немного
развеселит.

По дороге на озеро Шмяк увидел
большую афишу.
У него родилась отличная идея:
а что, если испечь торт
и выиграть телевизор?!

Шмяк помчался домой, чтобы
скорее приступить к делу.
Он взял мамину кулинарную
книгу и пролистал её всю,
до последней страницы.
Но ни один торт из книжки ему
не понравился. Ведь для победы
в конкурсе нужен не просто
какой-то торт, а самый лучший
на свете.

Шмяк решил, что лучше изобретёт
торт сам.
— Такого торта не будет больше
ни у кого!

— Сырник, давай-ка подумаем, что нам нужно. Большая миска! Или две... или три...

Шмяк смешал все продукты.
— Чем больше, тем лучше, —
сказал он Сырнику.

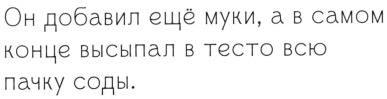

Он добавил ещё муки, а в самом
конце высыпал в тесто всю
пачку соды.
— Чем больше, тем лучше!

Всё готово! Можно ставить
торт в духовку.
Но с содой Шмяк явно
перестарался...

ШМЯК!

С тортом ничего не вышло.
Зато получился ТАКОЙ
беспорядок на кухне!

Шмяк ужасно устал, у него уже
не было сил печь второй торт.

Он лёг спать с мыслями: «Как же мне
выиграть телевизор? Что сделал бы
на моём месте Суперкот?»

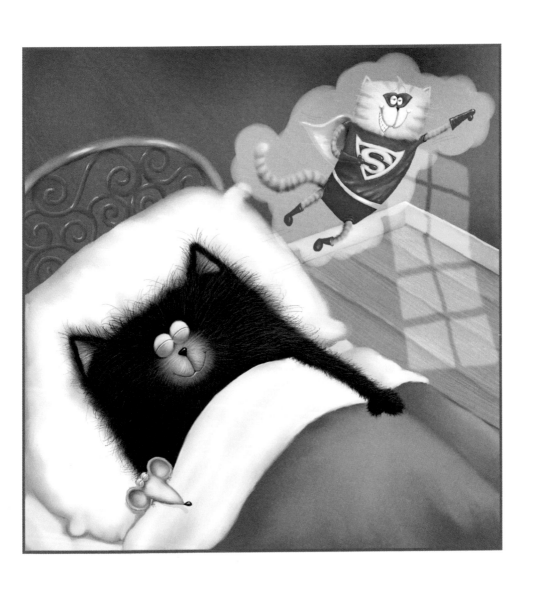

А ночью Шмяку приснился Суперкот.

Шмяк проснулся весёлым
и бодрым. Он теперь знал,
как испечь самый лучший
на свете торт.

Все друзья Шмяка тоже
приготовили торты для
конкурса.
Шип испёк торт.
Китти испекла торт.
Пряник испёк торт.

КОНКУРС ЮНЬ

Торт Шипа был гораздо шире.
Торт Китти был красивее.
Торт Пряника был выше.
Шмяк даже засомневался,
точно ли его торт самый
лучший?

Члены жюри внимательно рассмотрели все торты.

Потом попробовали все торты. И начали совещаться.

Один из них объявил:
— А сейчас главный судья назовёт победителя.
И вот сюрприз! Главным судьёй был Суперкот!

— В конкурсе юных кондитеров побеждает... котёнок Шмяк!

Шмяк был доволен и счастлив.
Он пригласил в гости друзей
и сказал:
— Давайте все вместе смотреть
мультик про Суперкота!

— Как же без Суперкота?! — прошептал Шмяк с улыбкой.